JE NE PENSAIS PAS QUE CE SERAIT AUSSI **PÉNIBLE** !

JE...

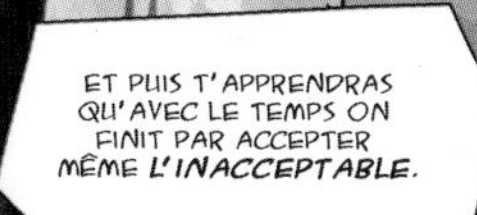

ACCEPTER MÊME L'INACCEPTABLE.

SEIGNEUR ! COMMENT AVONS-NOUS PU EN ARRIVER LÀ ?

GENETIKS, CAMPUS
DE PRINCETOWN.
DÉPARTEMENT DE
BIOLOGIE MOLÉCULAIRE.

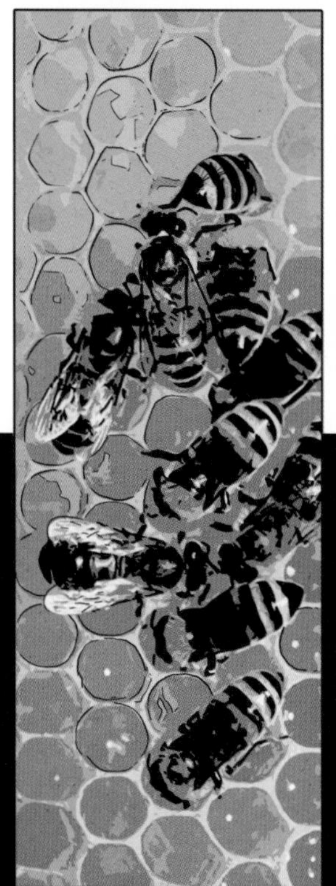

ÇA Y EST ! ON A LES RÉSULTATS DE LA RMN !
PUTAIN, THOMAS, BOUGE-TOI UN PEU ! T'AS VRAIMENT UNE GUEULE DE DÉTERRÉ EN CE MOMENT ! T'AS PAS ENVIE DE VOIR LES RÉSULTATS DE CE SUR QUOI ON BOSSE DEPUIS TROIS MOIS ?

J'AI REPENSÉ À CE PROTOCOLE, ANNE, ET JE CROIS QUE J'AI UN MAUVAIS PRESSENTIMENT...

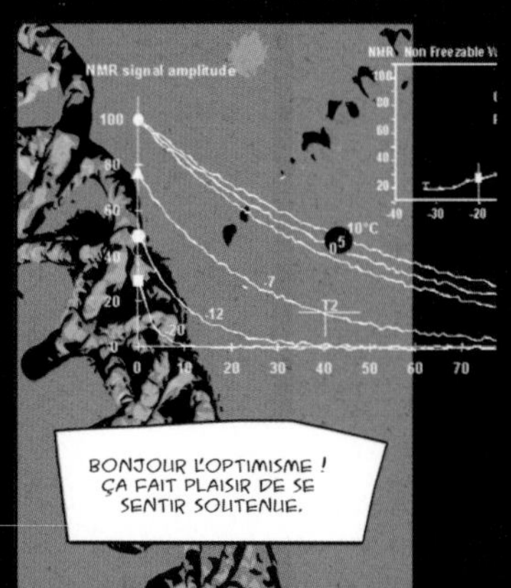
NMR signal amplitude
BONJOUR L'OPTIMISME ! ÇA FAIT PLAISIR DE SE SENTIR SOUTENUE.

ET MERDE ! REGARDE CE TRUC.

C'EST ENCORE FOIRÉ ! AVEC ÇA, JE TE PARIE QU'ILS NOUS RÉDUISENT LE BUDGET DE MOITIÉ !
JE NE COMPRENDS PAS ! NOS CHIMÈRES AVAIENT BIEN FONCTIONNÉ LA DERNIÈRE FOIS : LES CELLULES HUMAINES N'AVAIENT PAS REJETÉ LES GÈNES DE L'ABEILLE !
ON A POURTANT UTILISÉ LE MÊME PROTOCOLE !
ATTENDS ! C'EST QUAND MÊME NOUS QUI AVONS SORTI CET HYPOTENSEUR LE SEMESTRE DERNIER.
LES VIEUX CARDIAQUES SE L'ARRACHENT : T'AS VU LA PUB QU'ON FAIT SUR LE PRODUIT ?
DEUX JOURS APRÈS, ELLES TRICOTAIENT L'HYPOTENSEUR HYBRIDE COMME DE BRAVES PETITES COUTURIÈRES.
ALORS POURQUOI ÇA CLOCHE MAINTENANT ?
JUSTEMENT, ON A EU UN SUCCÈS PARCE QU'ON A ÉTÉ IMAGINATIFS, ET PUIS ON A ESSAYÉ DE REPRODUIRE LE TRUC BÊTEMENT. RÉSULTAT : ON S'EST PLANTÉS !
IL VA FALLOIR QU'ON REPRENNE TOUT DEPUIS LE...
HÉ, THOMAS, THOMAS ! ?
J'AI BIEN CRU QUE T'ALLAIS PARTIR, LÀ. TU TE SENS BIEN ?

ÇA VA MIEUX, ANNE, CE SONT CES MIGRAINES QUI M'ONT REPRIS. EN PLUS, JE VOIS DES TRUCS BIZARRES CES DERNIERS TEMPS.
QUEL GENRE, TES TRUCS ? PLUTÔT AVEC DES TROMPES OU CARRÉMENT PLUS FLIPPANT, DU STYLE FANTÔMES ?
THOMAS, MON CŒUR, IL EST VRAIMENT TEMPS QU'ON TE TROUVE UNE NANA QUI T'OCCUPE L'ESPRIT !
L'ESPRIT ET LE RESTE, TANT QU'À FAIRE.

TIENS, CASANOVA, IL Y AVAIT AUSSI ÇA DANS LA BOÎTE CE MATIN : UNE CONVOCATION DE LA DIRECTION. À TON AVIS, T'ES VIRÉ OU T'ES AUGMENTÉ ?
GENETIKS
TU VEUX PARIER ? CE SONT LES RÉSULTATS DE LA COMMISSION. QUAND JE SERAI DIRECTEUR DE RECHERCHE, JE TE PRENDS COMME LABORANTINE, T'ES ASSEZ BONNE POUR NETTOYER LA PAILLASSE !
AÏE ! ÇA Y EST, TES HALLUCINATIONS TE REPRENNENT, VRAIMENT, IL FAUT QUE TU CONSULTES, MON VIEUX !

VOUS PARTEZ DÉJÀ, MONSIEUR HALE ?
C'EST LE PRIVILÈGE DES CHERCHEURS, FÉLIPÉ ! ON A DES HORAIRES SOUPLES !
ET JE DOIS VOIR MON PÈRE CET APRÈS-MIDI...
SOUHAITEZ-LUI LE BONJOUR DE MA PART, MR HALE, ET SURTOUT BEAUCOUP DE COURAGE...
... C'EST UN TYPE ÉPATANT, VOTRE PÈRE.
... BOUCLAGE DU QUARTIER DES AFFAIRES DE PRINCETOWN SUITE AUX MANIFESTATIONS D'UN COLLECTIF D'ASSOCIATIONS DEVANT LE SIÈGE DES INDUSTRIES GENETIKS.
NEWS
CONNARDS DE FANATIQUES ! ILS PEUVENT PAS NOUS LAISSER BOSSER PEINARDS !

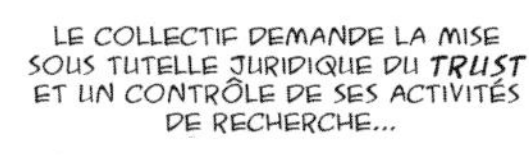
LE COLLECTIF DEMANDE LA MISE SOUS TUTELLE JURIDIQUE DU TRUST ET UN CONTRÔLE DE SES ACTIVITÉS DE RECHERCHE...

LE GOUVERNEUR A RÉFUTÉ LES PRESSIONS DE CES GROUPES EXTRÉMISTES...

GENETIKS

HEUREUSEMENT, NOUS VIVONS ENCORE DANS UN PAYS OÙ LA LIBERTÉ D'ENTREPRISE NE PEUT ÊTRE MENACÉE PAR L'ACTION DE LOBBIES AUX INTÉRÊTS DOUTEUX !

TU VIENS ENCORE ESSAYER DE ME REFILER TES NOU-VELLES PHARMACOPÉES...

TON MÉTIER, C'EST BIEN INGÉNIEUR GÉNÉTICIEN ? PAS DEALER, N'EST-CE PAS...

THOMAS, TU SAIS QUE JE N'AIME PAS ÇA !

BONJOUR, PAPA...
... NON !
ÇA NON PLU
JE N'AIME P

ALLONS, DIS-MOI CE QUI T'AMÈNE, MON FILS ?

PAPA, JE PASSAIS JUSTE TE RAPPELER QUE DEMAIN JE VIENDRAI FAIRE LES PRÉLÈVEMENTS POUR TES ANALYSES.

NOUS Y VOILÀ !

ÉCOUTE, ON A LA CHANCE D'AVOIR LES MEILLEURS LABOS DU MONDE...
... ET JE SUIS CONTENT D'UTILISER CES MOYENS POUR CONTRÔLER L'ÉVOLUTION DE TON ÉTAT !

JE N'AI PAS BESOIN QU'ON ME RAPPELLE TOUT LE TEMPS MON ÉTAT, THOMAS !

ÇA FAIT DES ANNÉES QUE JE SUIS DANS CETTE CHAISE !

TU ÉTAIS ENCORE UN GAMIN QUE J'ÉTAIS DANS CETTE CHAISE !
ET C'EST MOI QUI ME SUIS SOUCIÉ DE TA SANTÉ QUAND TA MÈRE NOUS A LAISSÉS EN PLAN.

BON, ÉCOUTE, CE SOIR JE DONNE UNE SOIRÉE POUR ALICE, UNE DE MES ANCIENNES ÉTUDIANTES, TU TE SOUVIENS D'ELLE ?

JE VOUDRAIS QUE TU VIENNES, IL Y AURA BEAUCOUP DE GENS DE CETTE ÉPOQUE-LÀ.

TU VEUX DIRE QUE JE DEVRAI SUPPORTER DE TE VOIR AU MOINS TROIS FOIS EN DEUX JOURS ?
JE NE SAIS PAS SI J'EN AURAI LA FORCE MORALE...

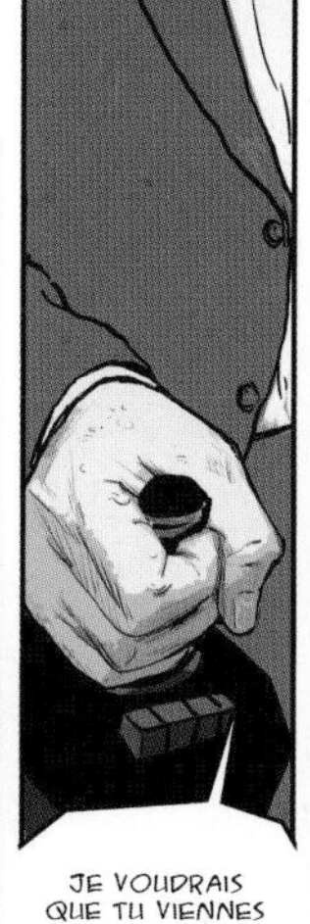
JE VOUDRAIS QUE TU VIENNES TOUT DE MÊME, THOMAS.

... CELA ME FERAIT PLAISIR !

C'EST BON...
... JE SERAI LÀ, PAPA !

DOCTEUR GROSSMAN ! ÇA Y EST, LE RÉSEAU TERMINE DE CRACHER LES RÉSULTATS !
NOM DE DIEU... VOUS ÊTES SÛR ?
LE SÉQUENÇAGE COMPLET SERA DISPONIBLE DANS QUELQUES MINUTES.

MONTREZ-MOI ÇA !

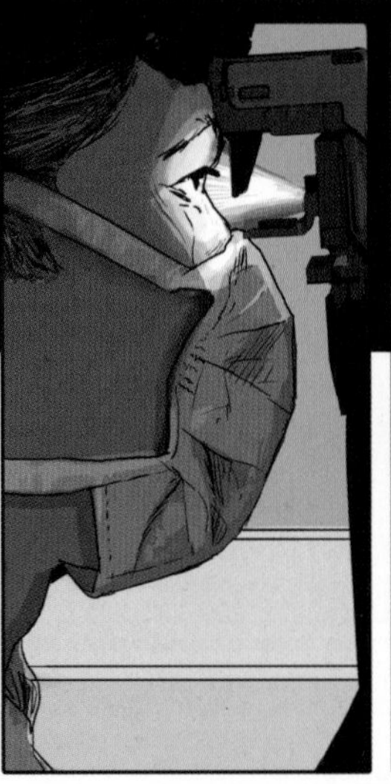

CES SYSTÈMES DE SÉCURITÉ...

QUI POURRAIT ENTRER ICI SANS SE FAIRE REMARQUER DE TOUTE FAÇON ?

INCROYABLE !
ADN
ATTGGG
CCATTG
VOUS RENDEZ-VOUS COMPTE DE CE QUE CECI SIGNIFIE, MESSIEURS ?
THOMAS HALE
JE VEUX SAVOIR QUI EST LE SUJET SOURCE, CELUI QUI A FOURNI LA CELLULE QUI A SERVI À CE SÉQUENÇAGE !
THOMAS HALE
âge : 26 ans
poids : 75 kg
profession :
C'EST UN SCIENTIFIQUE COMME NOUS, ET DU GENRE PRAGMATIQUE. IL NE DEVRAIT PAS FAIRE DE DIFFICULTÉS.
THOMAS HALE ? CE N'EST PAS CE TYPE DE L'HYPOTENSEUR DE L'ANNÉE PASSÉE, CELUI DU LABO AUX ABEILLES ?
NOUS L'AVONS DÉJÀ CONVOQUÉ, DOCTEUR GROSSMAN, VOUS LE RENCONTREZ DEMAIN.
UN FAUX PAS SERAIT DÉSASTREUX À CE POINT DU PROGRAMME.
... NOUS NE POUVONS NOUS PERMETTRE DE GÂCHER L'EFFET D'ANNONCE DE CETTE DÉCOUVERTE PAR MANQUE DE PRÉPARATION !
VÉRIFIEZ QUAND MÊME LES DONNÉES ET ASSUREZ-VOUS DE SA PRÉSENCE.
JE VOUS RAPPELLE QUE DORÉNAVANT NOUS N'AVONS PLUS DROIT À L'ERREUR.
ANDREAS MARTIN NE NOUS LE PARDONNERAIT PAS !

GENETIKS™ INDUSTRIES, SALLE DU CONSEIL D'ADMINISTRATION.
GENETIKS
MESSIEURS...

NOUS NE SOMMES PAS RÉUNIS AUJOURD'HUI AFIN D'ÉTABLIR UN PLAN DE COMMUNICATION POUR CONTRER NOS DÉTRACTEURS...

... CE PLAN EXISTE DÉJÀ...
... ET SON EFFICACITÉ N'EST PLUS À PROUVER.

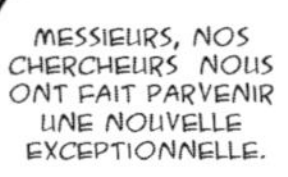
MESSIEURS, NOS CHERCHEURS NOUS ONT FAIT PARVENIR UNE NOUVELLE EXCEPTIONNELLE.

AU COURS DE LA NUIT PASSÉE, L'UNE DE NOS EXPÉRIENCES MAJEURES ET SUR LAQUELLE NOUS FONDIONS LES PLUS GRANDS ESPOIRS EST ARRIVÉE À SON TERME.

LES RETOMBÉES ATTENDUES SONT TELLEMENT SPECTACULAIRES QUE NOUS ALLONS DEVOIR RÉVOLUTIONNER LA POLITIQUE MÊME DU TRUST.

GENETIKS
MAIS NOTRE PRÉSIDENT, ANDREAS MARTIN, VA VOUS EXPLIQUER LES IMPLICATIONS DE CE NOUVEL ÉLAN.

MESSIEURS, BIENVENUE DANS LE FUTUR DE L'INDUSTRIE PHARMACEUTIQUE MONDIALE.

BIENVENUE CHEZ GENETIKS !

T'ES SÛRE QUE ÇA T'EMMERDE PAS DE ME CHAPERONNER CE SOIR ?
T'INQUIÈTE ! MON MEC EST EN DÉPLACEMENT CE WEEK-END, ALORS ÇA ME DONNE DU TEMPS LIBRE.
ET SI TOUT SE PASSE BIEN, ON VA TE TROUVER UNE NANA ET T'AURAS PLUS BESOIN DE MOI COMME FAIRE-VALOIR.
À CE GENRE DE SOIRÉE ? Y'A PAS DE RISQUE !
SI TU TROUVES QUE LES SOIRÉES AVEC LES MECS DU BOULOT SONT CHIANTES, ATTENDS DE VOIR CE QUE ÇA DONNE CHEZ LES VRAIS INTELLOS.
ON EST AU XXIE SIÈCLE ET CES TYPES TE PRENNENT ENCORE LA TÊTE AVEC LEURS EXISTENTIALISME, RELATIVISME, TOUT CE QUE TU VEUX À CONDITION QUE ÇA SE TERMINE EN -ISME.
ALLEZ, FAIS BONNE FIGURE ! ET LAISSE TES PRÉJUGÉS AU VESTIAIRE, PEUT-ÊTRE QUE TU TROUVERAS UNE INTELLO SEXY.
EFFECTIVEMENT, C'EST PROMETTEUR...
... ET EXCITANT !

CE GENRE DE SOIRÉE À LA CON, C'EST TOUT MON PÈRE !

AVEC SES ANCIENS ÉTUDIANTS IL S'ÉCLATE VRAIMENT, MAIS CHAQUE FOIS QUE JE LUI REND VISITE IL ME TIRE LA GUEULE...
... ET C'EST COMME ÇA DEPUIS QUE JE SUIS GAMIN...

DEPUIS SON ACCIDENT, EN FAIT !

C'EST MARRANT, JE CROYAIS QUE C'ÉTAIT DEPUIS QUE TU BOSSES CHEZ GENETIKS...
... ENFIN, MARRANT...

EXCUSE, C'EST JUSTE QUE CHEZ LES ARTISTES ET LES GAUCHOS, ON N'A PAS BONNE PRESSE EN CE MOMENT, VU LA POLITIQUE DU TRUST...
JE CROYAIS QUE C'ÉTAIT DÛ À ÇA, LE HIATUS AVEC TON PÈRE.

TU PARLES, IL ME FAIT PAYER LE DÉPART DE MA MÈRE, POINT BARRE !

APRÈS L'ACCIDENT, ELLE LI A CLAIREMENT DIT QU'ELL N'ALLAIT PAS S'OCCUPER D'UN HANDICAPÉ À VIE ET ELLE L'A LARGUÉ.
ELLE A TOUJOURS ÉTÉ UN PEU SPÉCIALE, MA MÈRE.

FRANCHE, MAIS UN PEU SPÉCIALE.

ALLEZ, LAISSE TOMBER, ON VA PAS SE MORFONDRE AU CLAIR DE LUNE, PENDANT QUE LES ARTISTES S'ÉCLATENT.
VIENS DANSER ! ÇA TE CHANGERA LES IDÉES.

BUMPA BUM

BUMPA BUMP

UMPA BUMPA BUMPA BUMPA BUMPA
BUMPA BUMPA BUM

UMPA BUMPA BUMPA BUMPA

BUMPA BUMPA BUMPA

PA BUMPA BUMPA BUMPA BUMPA BUMPA BUMPA BUMPA BUMPA BUMPA BUMPA BUMPA BU

BUMPA BUMPA BUM

C'EST PAS LA PEINE D'ESSAYER DE VOUS ARRANGER, VOUS ÊTES BIEN COMME ÇA !

ENFIN, JE VEUX DIRE, VOUS ÊTES DÉJÀ SUPERBE AU NATUREL, MÊME SANS **MAQUILLAGE,** QUOI.

TU PEUX ME TUTOYER. TU NE SERAIS PAS THOMAS PAR HASARD... ?
... THOMAS, **LE FILS DE NATHAN** ?
BEN... SI !

TU NE M'AS PAS RECONNUE ? JE SUIS UNE ANCIENNE ÉLÈVE DE TON PÈRE...
BEN, JE M'EN ÉTAIS UN PEU DOUTÉ, ÇA GROUILLE CE SOIR !
MOI, JE T'AI RECONNU TOUT DE SUITE, T'ÉTAIS QU'UN **GAMIN** LA DERNIÈRE FOIS QUE JE T'AI VU, MAIS DES YEUX COMME ÇA, ÇA S'OUBLIE PAS.

MAIS BON, JE COMPRENDS QUE TU NE ME REMETTES PAS, ÇA FAISAIT LONGTEMPS QUE JE N'AVAIS PAS REVU TON PÈRE.

DEPUIS QUE J'AI ARRÊTÉ **LA PEINTURE,** EN FAIT...

PEUT-ÊTRE QUE T'AS BIEN FAIT.
QUAND ON VOIT LES **DÉLIRES** DES ANCIENS ÉLÈVES EXPOSÉS CE SOIR, ON SE DIT QU'ILS AURAIENT MIEUX FAIT DE CHANGER DE VOIE EUX AUSSI.

ET TOI, QU'EST-CE QUE TU DEVIENS ? À QUOI PEUT BIEN BOSSER LE FILS DE NATHAN ?

JE SUIS PLUS UN GAMIN ! JE FAIS DE LA RECHERCHE EN GÉNÉTIQUE MAINTENANT.

C'EST UN PEU PLUS **CONCRE** QUE LES CROÛTES QUE FAISAI MON PÈRE AVANT SON ACCIDENT.

EN TOUT CAS, CHEZ GENETIKS, EN CE MOMENT ON BOSSE SUR DES TRUCS QUI SERVENT VRAIMENT AUX GENS...
PAS COMME LES **DÉBILITÉS NOMBRILISTES** DE TES ANCIENS POTES.

AH OUAIS... TU BOSSES CHEZ GENETIKS ?

BEN OUAIS, ÇA LE FAIT, NON ?

ALORS T'AS DÛ ME VOIR À LA **MANIF** CONTRE TON **TRUST** ET SON **CONNARD** DE PATRON CET APRÈM', NON ?

BON, ALLEZ, JE TE LAISS THOMAS, VISIBLEMENT LE PIQÛRES D'HORMONE D CROISSANCE ÇA A BIEN MARCHÉ SUR TOI !

AU FAIT, POUR INFO, LES DÉBILITÉS NOMBRILISTES...

... C'EST DE MOI...
... JE ME SUIS REMISE À LA PEINTURE.

ÇA VA MIEUX, THOMAS ?
PAS VRAIMENT...
... JE SUIS COMPLÈTEMENT CASSÉ, LÀ, ET EN PLUS...
... JE CROIS QUE JE SUIS UN VRAI CON.
QU'EST-CE QUI T'A PRIS ?
C'EST L'ALCOOL QUI T'A FAIT PÉTER LES PLOMBS ?
L'ALCOOL, MES **MIGRAINES**, LES PEINTURES, MON PÈRE...
FAUDRAIT PEUT-ÊTRE QUE JE VOIE UN PSY, MOI...
ÉCOUTE, JE VAIS TE RAMENER, C'EST VRAI QUE T'AS PAS L'AIR DANS TON ASSIETTE, LÀ.
JE TE VOIS PAS REPRENDRE LE VOLANT.
ARRÊTE TES CONNERIES, LE PLUS URGENT C'EST QUE TU DESSAOULES !
... POUR LES LEÇONS DE SAVOIR-VIVRE, ON VERRA UN AUTRE JOUR.

CAMPUS DE PRINCETOWN. DÉPARTEMENT DE BIOLOGIE MOLÉCULAIRE DE GENETIKS™ INDUSTRIES.

VOUS N'AVEZ PAS L'AIR EN FORME, MR HALE ! VOUS VOULEZ QUE JE VOUS AIDE ?
PAS LA PEINE, FÉLIPÉ, JE PEU TRÈS BIEN ME TRAÎNER TOUT SEUL.
IL PARAÎT QUE VOUS RENCONTREZ LE PATRON DU LABO ? TOUT LE MONDE NE PARLE QUE DE ÇA CE MATIN ! ÇA A L'AIR D'ÊTRE IMPORTANT, NON ?
SUFFISAMM IMPORTANT QUE JE ME APRÈS UNE S TROP ARRO

DITES ? LES COPAINS DE LA SURVEILLANCE ONT REMARQUÉ QUE ÇA S'AGITE DRÔLEMENT CES DERNIERS JOURS DANS LES *LABOS*...
... IL Y EN A MÊME QUI RACONTENT QU'ON EST À LA VEILLE D'UNE GRANDE ANNONCE, ET QUE LES PRIMES D'INTÉRESSEMENT VONT ÊTRE BOOSTÉES EN FIN D'ANNÉE.
PEUT-ÊTRE QUE VOUS SAVEZ DES TRUCS, VOUS QUI ÊTES UN GARS DE LA HAUTE ET TOUT ?

AU FAIT, VOTRE RENDEZ-VOUS, C'EST POUR UNE ***PROMOTION*** OU BIEN VOUS ÊTES VIRÉ ?

JE SAIS PAS, FÉLIPÉ, DÉSOLÉ, MAIS IL FAUT VRAIMENT QUE J'Y AILLE MAINTENANT.

QUEL CON !

VOUS ÊTES EN RETARD, HALE !

DEPUIS VOTRE *CONVOCATION*, LES CHOSES ONT PRIS DE L'AMPLEUR, LE DOCTEUR GROSSMAN VOUS ATTEND DANS SON BUREAU...

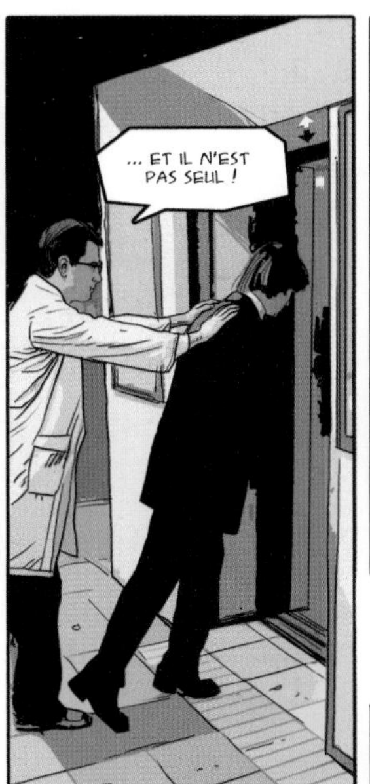
... ET IL N'EST PAS SEUL !

L'IMPORTANCE DE CE QUE VOUS ALLEZ APPRENDRE A JUSTIFIÉ LA PRÉSENCE D'UNE PERSONNE HAUT PLACÉE QUI VOUS EXPLIQUERA MIEUX QUE MOI LES IMPLICATIONS DE LA RÉVÉLATION À LAQUELLE
TING !

ENTREZ, MR HALE, NOUS SOMMES HEUREUX DE VOUS ACCUEILLIR.

NOUS AVONS DES *RÉVÉLATIONS* IMPORTANTES À VOUS FAIRE.

LE DOCTEUR CLAIRE ARTMOND, VICE-PRÉSIDENTE DE NOTRE GROUPE, VA TOUT VOUS EXPLIQUER...

MR HALE... VOUS AVEZ ÉTÉ AU CŒUR DE NOS PENSÉES CES DERNIERS JOURS.

VOUS SAVEZ QUE GENETIKS TRAVAILLE DEPUIS LONGTEMPS AU SÉQUENÇAGE DE L'ADN D'UNE CELLULE HUMAINE.
HIER, NOS INGÉNIEURS SONT PARVENUS AU TERME DE CE SÉQUENÇAGE...

... POUR LA PREMIÈRE FOIS DANS L'HISTOIRE DE L'HUMANITÉ, NOUS AVONS ENTIÈREMENT DÉCODÉ LE GÉNOME HUMAIN.

CE... C'EST FANTASTIQUE, MAIS POURQUOI M'EN INFORMER PERSONNELLEMENT ? JE... JE N'AI JAMAIS TRAVAILLÉ À CE PROJET.

VOUS SAVEZ QUE CHACUN DE NOS EMPLOYÉS DOIT SYMBOLIQUEMENT DÉPOSER UNE DE SES CELLULES DANS NOTRE BANQUE GÉNÉTIQUE UNIVERSELLE...
... AFIN DE MONTRER QU'IL SOUTIENT TOUT AUSSI SYMBOLIQUEMENT LA RECHERCHE SUR LE GÉNOME HUMAIN.

LA CELLULE QUI A ÉTÉ DÉCODÉE PROVIENT DE VOTRE DOSSIER, MR HALE...

... C'EST VOTRE CODE GÉNÉTIQUE, VOTRE IDENTITÉ INTIME QUE NOUS AVONS DÉCODÉE.

NOUS SAVONS QUE NOS OPPOSANTS TENTERONT TOUT POUR EMPÊCHER GENETIKS D'INVESTIR CE CHAMP DE RECHERCHE.
ET NOUS NE VOUDRIONS PAS QU'ILS PRÉTEXTENT UNE MANIPULATION DONT VOUS POURRIEZ IMAGINER AVOIR ÉTÉ LA VICTIME.
NOUS AVONS DONC TROUVÉ UN MOYEN DE LEUR COUPER L'HERBE SOUS LE PIED.
PUISQUE GENETIKS A DÉCODÉ CHACUN DES GÈNES DE VOTRE CELLULE, GENETIKS POSSÈDE LES DROITS DE TOUT CE QUE PEUVENT PRODUIRE CES GÈNES...
Info System 5.03
TOUTES LES CELLULES DE VOTRE CORPS SONT LA RÉPLIQUE EXACTE DE CETTE CELLULE SOUCHE, CELA SIGNIFIE QUE NOUS POSSÉDONS LES DROITS DE TOUT CE QUE LES CELLULES DE VOTRE CORPS PEUVENT PRODUIRE...
EN SCHÉMATISANT, VOUS ÊTES DEVENU LA PROPRIÉTÉ DE GENETIKS, MR HALE !
SI VOUS ACCEPTIEZ DE SIGNER CES CONTRATS ET D'OFFICIALISER CE NOUVEAU STATUT, NOS OPPOSANTS N'AURAIENT PLUS DE PRISE SUR NOUS.
BIEN SÛR, TOUT CECI RESTERAIT SYMBOLIQUE...
... NOUS PENSONS SIMPLEMENT QU'AVEC VOTRE APPROBATION, LE PUBLIC ACCEPTERAIT PLUS FACILEMENT LES IDÉES NOUVELLES QUI DÉCOULERONT INÉVITABLEMENT DE CETTE DÉCOUVERTE.
VOUS RESTEZ DONC PARFAITEMENT LIBRE DE REFUSER DE SIGNER, MR HALE.
MAIS SI VOUS DÉCIDIEZ D'ACCEPTER...
... LE TRUST SAURAIT SE MONTRER PARTICULIÈREMENT RECONNAISSANT.
GENETIKS

IL FAUT QUE JE TE LAISSE, ANNE, JE DOIS RETOURNER VOIR MON PÈRE...

... TU SAIS, POUR SES *EXAMENS*.

CLAAC !
ET MERDE !
AH ! ALICE ! VOILÀ MON FILS !
C'EST UN JEUNE HOMME BRILLANT QUI SE SOUCIE DE LA SANTÉ DE SES SEMBLABLES !
JE SAIS, ON S'EST VUS HIER SOIR... ON A UN PEU CAUSÉ.
ALICE, JE SUIS DÉSOLÉ POUR HIER. J'AVAIS TROP PICOLÉ, C'ÉTAIT PAS TRÈS...
... DÉLICAT.

THOMAS ! TU SAIS BIEN QUE JE ME MOQUE DE MA SANTÉ !

HEUREUSEMENT, CE N'EST PAS LE CAS DE TOUT LE MONDE...
... ET PUIS TU SAIS QUE DANS TON ÉTAT, TU DOIS FAIRE DES CONTRÔLES RÉGULIERS...

ÇA ME RASSURE ET CE SERAIT IDIOT DE PAYER UN LABO QUI FERAIT ÇA PAR-DESSUS LA JAMBE.

TU VOIS, C'EST DÉJÀ FINI, JE T'AURAI PAS EMMERDÉ TROP LONGTEMPS !
THOMAS, RENDS-TOI VRAIMENT UTILE, ET RACCOMPAGNE ALICE EN VILLE. ÇA LUI ÉVITERA DE ME SUPPORTER TOUT L'APRÈS-MIDI !
C'EST TOUJOURS UN PLAISIR, NATHAN !
POUR ME FAIRE PARDONNER, JE TE PAYE UN COUP EN VILLE...
... SI TU VEUX BIEN.
POURQUOI PAS...

ALICE, JE SUIS VRAIMENT DÉSOLÉ POUR HIER, JE SAIS PAS CE QUI M'A PRIS...
.. J'AI VRAIMENT ÉTÉ NUL.
LAISSE TOMBER ! ÇA ARRIVE À TOUT LE MONDE D'AVOIR UN COUP DE TROP DANS LE NEZ.
J'AI PAS ÉTÉ TENDRE NON PLUS...
... ET POURTANT J'AVAIS RIEN BU.
IL Y A UN TRUC DONT JE VOUDRAIS TE PARLER...
ALICE...
... UN TRUC PERSONNEL !
JE T'ÉCOUTE.
C'EST UN TRUC AVEC MON BOULOT, UNE PROPOSITION QU'ON M'A FAITE.
...

CE MATIN, J'AI RENCONTRÉ LA VICE-PRÉSIDENTE DE MON GROUPE, JE VAIS PAS RENTRER DANS LES DÉTAILS SCIENTIFIQUES...

... MAIS EN GROS, ON ME DEMANDE DE SIGNER UN CONTRAT, QUI FAIT SYMBOLIQUEMENT DE MOI LA PROPRIÉTÉ DE GENETIKS...
... D'UN AUTRE CÔTÉ, ÇA ME FICHERAIT UN SACRÉ COUP DE POUCE PROFESSIONNEL, TU COMPRENDS ! ALORS DU COUP, J'HÉSITE !

ATTENDS ! EXCUSE-MOI, THOMAS, MAIS JE VOIS MÊME PAS POURQUOI TU TE POSES LA QUESTION, LÀ ? TU VOIS PAS QUE C'EST COMPLÈTEMENT SCANDALEUX !
ÇA NE M'ÉTONNE PAS DE TA BOÎTE, ILS N'EN SONT PAS À LEUR COUP D'ESSAI, CES SALAUDS !

ET MERDE, J'EN ÉTAIS SÛR ! J'AURAIS JAMAIS DÛ T'EN PARLER...
... JE VOULAIS PAS RENTRER DANS UN DÉBAT POLITIQUE !

POURQUOI VOUS VOUS SENTEZ TOUJOURS OBLIGÉS DE FAIRE CHIER LE MONDE AVEC VOS PHOBIES "ANTIMODERNISTES" ?

POURQUOI ? MAIS PARCE QU'ON EN A MARRE DE VOIR DES BOÎTES COMME GENETIKS BAFOUER LES DROITS CIVIQUES...

... TOUT ÇA GRÂCE AU SOUTIEN BÉAT OU À L'INCONSCIENCE DE MECS COMME TOI !

C'EST VRAI QUE DANS VOS CONNERIES DE SOIRÉES D'ARTISTES BRANCHÉS, ON SENT TOUT DE SUITE L'ÉVEIL DE LA CONSCIENCE PROLÉTARIENNE.

T'AS VRAIMENT UNE DRÔLE DE FAÇON DE T'EXCUSER, THOMAS !

SALUT ! MERCI POUR LE VERRE !

VOUS N'AVEZ PAS L'AIR DANS VOTRE ASSIETTE, MR HALE...
... VOTRE RENDEZ-VOUS NE S'EST PAS BIEN PASSÉ ?
LÂCHE-MOI, FÉLIPÉ, T'ES LÀ POUR SURVEILLER L'ENTRÉE, PAS POUR FAIRE LA CONVERSATION.

...

ANNE...
... ANNE, TU ES LÀ ?

ET MERDE !

DRIING

THOMAS ? JE SUIS L'ASSISTANT DE MR GROSSMAN, AVEZ-VOUS RÉFLÉCHI À LA PROPOSITION DE NOTRE VICE-PRÉSIDENTE ?
OUI...

DITES-LUI QUE J'ACCEPTE.

NOUS VENONS D'OUVRIR LA BOÎTE QUI CONTIENT LES ***SECRETS*** DE LA NATURE HUMAINE ET DE LA VIE.

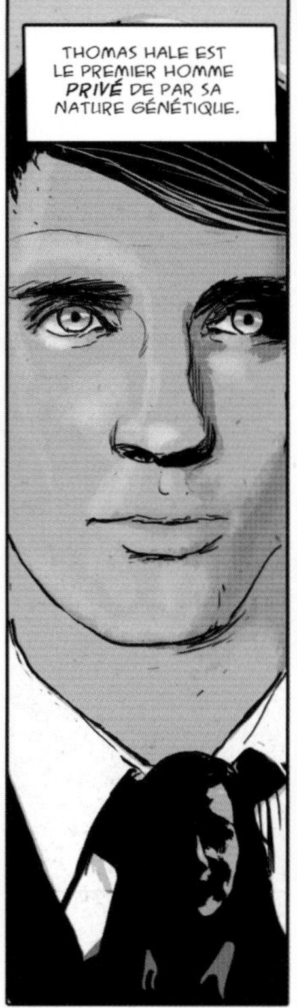

TU CROIS VRAIMENT QUE TU AS BIEN FAIT DE TE PRÉCIPITER COMME ÇA ?
JE SAIS PAS...
J'ÉTAIS ÉNERVÉ...
J'AI VOULU PROUVER QUE J'AVAIS FAIT LE BON CHOIX, QUE JE POUVAIS DÉCIDER QUELQUE CHOSE.
JE NE PEUX PAS TE DIRE QUE J'ESPÈRE QUE ÇA N'AURA PAS TROP D'**IMPACT** SUR TA VIE...
... EN QUELQUES MINUTES, TU ES DEVENU UNE **STAR MONDIALE**, GENETIKS NE TE LÂCHERA PLUS MAINTENANT.
MAIS QUI TU A VOUL PROUV ÇA ?
...

NOTRE PRÉSIDENT, ANDREAS MARTIN, FERA UNE DÉCLARATION PLUS DÉTAILLÉE EN FIN DE SEMAINE.
IL VOUS EXPLIQUERA LES CONSÉQUENCES SCIENTIFIQUES ET FINANCIÈRES DE CETTE AVANCÉE ÉPISTÉMOLOGIQUE EXTRAORDINAIRE.

VOUS VENEZ D'ENTENDRE CLAIRE ARTMOND, VICE-PRÉSIDENTE DE GENETIKS INDUSTRIES.

IMMÉDIATEMENT APRÈS CETTE DÉCLARATION, L'ACTION DE GENETIKS ÉTAIT DÉCLARÉE EN HAUSSE MOYENNE DE 50 % SUR LA PLUPART DES MARCHÉS DU MONDE...

MR MARTIN...
... NOUS AVONS UN SÉRIEUX PROBLÈME...

NOTRE SUJET...

... IL POURRAIT NOUS ÉCHAPPER.

TU NE TE SENS PAS BIEN ?
ÇA VA ALLER, JUSTE UN PETIT ÉTOURDISSEMENT...
... LA CHALEUR.
C'EST BON, T'EN AS ASSEZ FAIT POUR AUJOURD'HUI...
MAIS IL VA FALLOIR QUE TU TE RESSAISISSES SI TU VEUX GARDER CE BOULOT !
ON VA S'ARRÊTER LÀ, JE PRENDS ÇA SUR MOI !
JE... JE VAIS FAIRE UN EFFORT...
DE TOUTE FAÇON, TU N'AS PAS LE CHOIX...
... MAINTENANT QUE TU ES ENGAGÉ LÀ-DEDANS, TU NE PEUX PLUS RECULER...
... NOS PATRONS NE TE LE PERMETTRAIENT PAS...

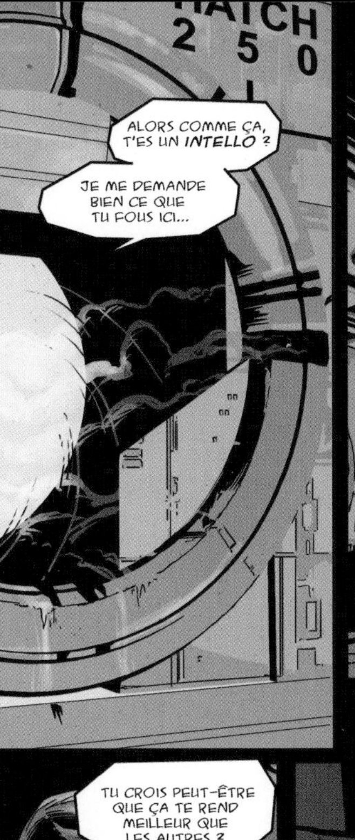
HATCH
2 5 0
ALORS COMME ÇA, T'ES UN *INTELLO* ?
JE ME DEMANDE BIEN CE QUE TU FOUS ICI...

MOI, UN INTELLO ? T'ES FOU ? POURQUOI TU DIS ÇA ?

TU CROIS PEUT-ÊTRE QUE ÇA TE REND MEILLEUR QUE LES AUTRES ?

H. G. Wel
L'île du docteur Moreau
AH, ÇA ? ATTENDS, CE TYPE ÉTAIT UN VRAI GÉNIE, UN *VISIONNAIRE*...
C'EST COMME S'IL AVAIT PRÉVU TOUT ÇA !
ÉCOUTE, J'AI PAS DE CONSEIL À TE DONNER...
MAIS SI TU VEUX TENIR LE COUP ICI, TU DEVRAIS ÉVITER DE TROP TE PRENDRE LA TÊTE !

JE SAIS PAS, TROUVE-TOI UNE FILLE GENTILLE QUI TE FERA OUBLIER TOUT ÇA !

DANS LA VIE, IL FAUT CONNAÎTRE SA PLACE...
... ET SAVOIR LA GARDER.

GENETIKS INDUSTRIES.
THOMAS ? ! J'Y CROIS PAS...
HOU LÀ ! T'AS ENCORE L'AIR VAPOREUX, TOI, AUJOURD'HUI.
ELLES SONT ÉNORMES, C'EST INCROYABLE ! PRESQUE LA TAILLE D'UN COCHON D'INDE...
C'EST DINGUE CE QU'ON ARRIVE À FAIRE DE NOS JOURS, QUAND MÊME !
T'AS RÉUSSI À OBTENIR DES NOUVELLES CHIMÈRES ?!
BEN OUAIS, C'EST LA RANÇON DU SUCCÈS...

THOMAS, IL FAUT QU'ON PARLE D'UN TRUC, LÀ...

AÏE, T'AS LA TÊTE DES MAUVAIS JOURS, T'AS DES EMMERDES AVEC TON MEC ENCORE ?

DES TYPES SONT VENUS CHEZ MOI CE MATIN...
QUEL GENRE, LES TYPES ? DU GENRE POSTIER OU DU GENRE LAITIER ?
DÉCONNE PAS, THOMAS, ILS M'ONT POSÉ DES TAS DE QUESTIONS SUR TOI.

FRANCHEMENT, JE VOIS MÊME PAS CE QU'ILS CHERCHAIENT, ILS AVAIENT DÉJÀ L'AIR D'EN SAVOIR PLUS SUR TA VIE QUE TA PROPRE MÈRE !
ILS M'ONT MÊME DEMANDÉ DES TRUCS SUR TA RENCONTRE AVEC ALICE...

QUOI ?
ET TOI, TU LEUR DÉBALLES MA VIE COMME ÇA !

T'ES MARRANT, TOI ! T'AS PAS VU LA GUEULE DES MECS, DES VRAIES ARMOIRES À GLACE...

... ET PUIS ILS AVAIENT UN ARGUMENT IMPARABLE...
Genetiks™
Security and
Information Agent

PUTAIN, MAIS C'EST QUOI CE DÉLIRE !
ATTENDS, THOMAS, MOI, JE NE T'AI RIEN DIT, JE NE VEUX PAS AVOIR D'ENNUIS...

NE T'INQUIÈTE PAS, ANNE, ÇA DOIT ÊTRE UN CONCURRENT QUI PREND SES RENSEIGNEMENTS.

FRANCHEMENT, ILS SONT PAS FINS ET ÇA M'ÉTONNERAIT QUE GENETIKS LAISSE PASSER ÇA.

... MAIS VOUS N'AVEZ PAS À VOUS INQUIÉTER...
... CES AGENTS TRAVAILLENT EFFECTIVEMENT POUR GENETIKS...
ILS SONT CHARGÉS DE VOTRE PROTECTION !
VOUS AVEZ BIEN FAIT DE M'AVERTIR, THOMAS...
EUH, JE SUIS PAS SÛR D'AVOIR BIEN COMPRIS, LÀ... VOUS ME FAITES SUIVRE, VOUS **FLIQUEZ** MES AMIS ! ET VOUS DITES QUE C'EST POUR MA PROTECTION ?
C'EST QUOI CE DÉLIRE ?

MR HALE... VOUS SAVEZ QUE VOTRE **AVENIR** EST ASSURÉ... NOUS VOUS AVONS ARRANGÉ UN RENDEZ-VOUS AVEC **ANDREAS MARTIN** EN DÉBUT DE SOIRÉE...
TOUT VA S'ARRANGER !

VOUS DEVEZ COMPRENDRE, THOMAS : VOUS ÊTES L'UN DE NOS **INVESTISSEMENTS** LES PLUS IMPORTANTS, IL EST NORMAL QUE NOUS DÉFENDIONS NOS **INTÉRÊTS**...

SURTOUT SI VOTRE NAÏVETÉ ET VOTRE PHILANTHROPIE DEVIENNENT UN VÉRITABLE FACTEUR DE RISQUE POUR NOS **ACTIONNAIRES**...
CLAC !
PHILANTHROPE, MOI ?
PUTAIN...

ANNE... JE...
THOMAS ? ÇA VA PAS ? ÇA NE S'EST PAS BIEN PASSÉ ?
NON, ANNE, NE... PAS PAR LÀ ! ILS VONT TE...
NOOOOON !

ÇA VA PAS MIEUX, TOI ! FRANCHEMENT, TU DEVRAIS CONSULTER. TES PUPILLES SONT COMPLÈTEMENT DILATÉES...

TU ES SÛR QUE TU NE PRENDS PAS DES... DES SUBSTANCES EN CE MOMENT ?
LAISSE TOMBER, ANNE, JE ME DROGUE PAS, C'EST JUSTE UN MALAISE VAGAL JE PENSE...

BOIS ÇA ! TU DEVRAIS VOIR UN NEUROLOGUE TOUT DE SUITE, TANT QUE C'EST ENCORE CHAUD..

NON, NON, ÇA VA ALLER, MONTRE-MOI PLUTÔT LES ANALYSES DE MON PÈRE, ÇA ME CHANGERA LES IDÉES.

DIS-MOI, POURQUOI IL EST COLLÉ DANS SON FAUTEUIL, TON PÈRE, DÉJÀ ? UN PROBLÈME GÉNÉTIQUE ?
UN ACCIDENT DE BAGNOLE ! JE TE L'AI DÉJÀ EXPLIQUÉ, NON ?
T'ÉCOUTES JAMAIS CE QUE JE TE DIS, EN FAIT !
SI, SI, JE ME SOUVIENS...
MAIS JE ME DEMANDAIS JUSTE POURQUOI TU AS RÉCLAMÉ UN CARYOTYPE SI C'EST PAS UN PROBLÈME GÉNÉTIQUE...
C'EST QUOI CES CONNERIES ? JE VOULAIS JUSTE DES ANALYSES POUR VÉRIFIER L'IMPACT DE SON HANDICAP SUR SA SANTÉ, MOI...
... ANALYSES DE SANG, BILAN CARDIAQUE, CE GENRE DE CONNERIES, QUOI...
... DES ANNÉES EN CHAISE ROULANTE, ÇA A UN IMPACT SUR TA SANTÉ, C'EST PAS PARCE QU'IL EST CHIANT QUE JE DOIS PAS ME SOUCIER, TU VOIS...
BAH, SI TU VEUX TE SOUCIER, ALORS CE TRUC VA T'INTÉRESSER !
CE CARYOTYPE, LÀ, C'EST PAS CELUI DE TON PÈRE, ENFIN, JE CROIS PAS...
1 2 3 5 6
19
À MOINS QUE TON PÈRE SOIT UNE CHIMÈRE HOMME-ABEILLE...
BON, ÉCOUTE, JE TE COPIE CES DONNÉES POUR QUE TU LES AIES À PORTÉE DE MAIN, JUSTE AU CAS OÙ...
THOMAS, JE CROIS QUE QUELQU'UN ESSAYE DE TE FAIRE COMPRENDRE QUELQUE CHOSE, LÀ...

SSE TOMBER, JE SUIS
.EMENT INTIMIDABLE.
.IS, ÇA S'ARRANGE
IDONS GENETIKS...
COMMENT ÇA, ÇA S'ARRANGE ? TU AVAIS DES PROBLÈMES ?
NON, C'EST JUSTE QUE CLAIRE ARTMOND N'A PAS APPRÉCIÉ MON HISTOIRE AVEC ALICE...
AH ? PARCE QUE ÇA DEVIENT UNE HISTOIRE, EN PLUS ? FAIS ATTENTION, THOMAS, TU SAIS QUE CETTE FILLE EST UNE ACTIVISTE, TU RISQUES DE TE METTRE DES GENS IMPORTANTS À DOS.
TU SAIS AVEC QUI ELLE ÉTAIT AVANT ?
TIENS, REGARDE, JE T'AI FAIT UNE RECHERCHE SUR LE NET.
TU FAIS DES RECHERCHES SUR LES NANAS QUE JE FRÉQUENTE, MAINTENANT ? TU SERAIS PAS UN PEU JALOUSE PAR HASARD ?
TU CONNAIS
ABEL DRESCH,
L'AVOCAT ?
ALICE M'A PARLÉ DE LUI...
ILS ÉTAIENT ENSEMBLE IL Y A QUELQUES ANNÉES...
... CE TYPE SAVAIT REMUER LA MERDE COMME PERSONNE.
QUAND TU FRÉQUENTES DES MECS COMME ÇA, IL FAUT ÊTRE CAPABLE DE SUPPORTER LES ÉCLABOUSSURES, THOMAS...
'TAIN, IL Y A MÊME LES COORDONNÉES PERSO D'ALICE...
BON, EH BIEN, MOI, JE ME TIRE DU LABO, JE VEUX PAS ÊTRE LÀ QUAND TU L'APPELLES.
JE VEUX PLUS D'ENNUIS AVEC CETTE HISTOIRE. SI ON ME DEMANDE, JE DIRAI QUE J'ÉTAIS PAS AU COURANT !
ALLÔ ?
ALICE ?

VOUS DÉSIRIEZ ME VOIR, MR HALE...
THOMAS, JE CROIS ?!
MR ANDREAS MARTIN... JE... JE SUIS DÉSOLÉ, JE VOUS VOYAIS PLUS VIEUX.
AH ! AH ! AH ! NE VOUS EXCUSEZ PAS, THOMAS...
À QUOI BON AVOIR CRÉÉ UN GÉANT TEL QUE GENETIKS SI ON NE PEUT BÉNÉFICIER DE SES "PETITS SERVICES" ET "AVANTAGES"... ?
MAIS PARLONS PLUTÔT DE VOUS, THOMAS, JE CROIS COMPRENDRE QUE VOTRE NOUVEAU STATUT VOUS POSE PROBLÈME ?
C'EST QUE... NOUS AVIONS CONVENU QUE CETTE HISTOIRE DE PROPRIÉTÉ SERAIT UNIQUEMENT SYMBOLIQUE...
ET TANT QUE JE FAISAIS LA PROMOTION DE GENETIKS AUPRÈS DE LA PRESSE, ÇA ALLAIT, MAIS MAINTENANT...

VOUS FAITES ALLUSION À CETTE JEUNE FEMME, N'EST-CE PAS ?
JE COMPRENDS QUE LES NOUVELLES RÈGLES DE VIE QU'IMPOSE VOTRE STATUT VOUS INQUIÈTENT...

PENSEZ-VOUS VRAIMENT QUE CETTE PERSONNE VAILLE LA PEINE QUE VOUS REMETTIEZ EN CAUSE TOUT CE SUR QUOI VOUS AVEZ BASÉ VOTRE VIE JUSQU'À PRÉSENT ?

JE... JE NE SAIS PAS, MAIS J'AI TOUJOURS ESTIMÉ QUE JE POURRAIS EN JUGER PAR MOI-MÊME.

THOMAS, VOS TRAVAUX ATTESTENT DE VOS TALENTS D'INGÉNIEUR...
JE SUIS SÛR QUE VOUS COMPRENEZ QUE GENETIKS N'EST PAS SEULEMENT UN TRUST QUI DÉFEND LES INTÉRÊTS DE SES ACTIONNAIRES.

SUR CE CAMPUS, NOUS ÉLABORONS DES PROTOCOLES DE RECHERCHE QUI VONT CHANGER LA NATURE DE L'HUMANITÉ...
CETTE HUMANITÉ QUI S'EST LANCÉE À LA CONQUÊTE DES ÉTOILES MAÎTRISERA BIENTÔT LE MONDE PHYSIQUE QUI L'ENTOURE...
... MAIS DES TABOUS PUISSANTS L'EMPÊCHENT TOUJOURS DE PÉNÉTRER LES SECRETS DE SA PROPRE NATURE...
... NOS DÉTRACTEURS SAVENT UTILISER CES TABOUS POUR EXCITER LES PEURS DES POPULATIONS IGNORANTES...
THOMAS, VOUS AVEZ LE PRIVILÈGE D'ÊTRE AU CŒUR DE LA PLUS GRANDE RÉVOLUTION SCIENTIFIQUE ET CULTURELLE DE NOTRE TEMPS...
VOUS AVEZ LE PRIVILÈGE DE POUVOIR NOUS AIDER À BRISER CES PUISSANTS TABOUS...
... J'AI BESOIN QUE GENETIKS ME FASSE CONFIANCE, VOUS COMPRENEZ...
JE VOUS PROMETS D'ÊTRE VIGILANT, MONSIEUR, MAIS...
JE COMPRENDS...
... AU REVOIR, MR HALE...
CLAIRE, JE CROIS QUE NOUS AVONS COMMIS UNE ERREUR...

in our hands ...
And we will take
care of them ...
GENETIKS
Thomas Hale™, Ingenieur Genetiks™ Industries

PUTAIN, IL EST OÙ CE THÉÂTRE...
... JE DEVRAIS PAS ÊTRE LOIN, LÀ...

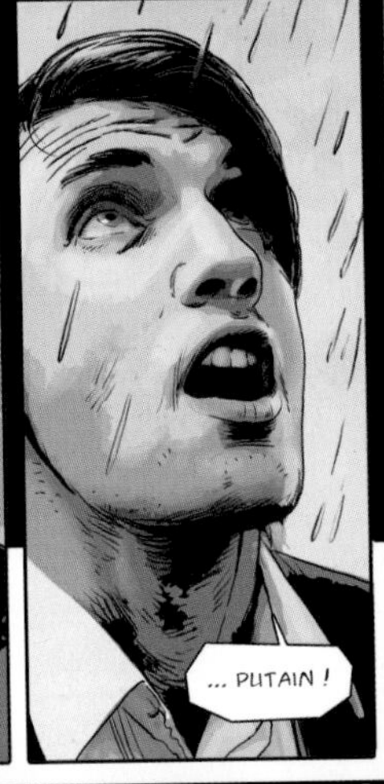
... PUTAIN !

Wayang Kulit,
Authentique Théâtre
d'Ombre Indonésien.
Mâya Sâbha ... a tale of
the The Mahabharata
by traditionnal
artist Joko Susilo

ELLE EST VRAIMENT BIZARRE CETTE NANA, QUAND MÊME...

TE VOILÀ ENFIN...

VIENS VITE, ÇA A DÉJÀ COMMENCÉ...

NOM DE DIEU ! MAIS QU'EST-CE QUE C'EST QUE CE TRUC ?

TU N'AS JAMAIS ÉTÉ À UN THÉÂTRE D'OMBRES QUAND TU ÉTAIS GAMIN ?

FRANCHEMENT, JE DOUTE QUE CE SOIT POUR LES GAMINS CE TRUC-LÀ.

AH ? MOI, JE N'AI JAMAIS BIEN SU À QUEL MOMENT UNE HISTOIRE CESSAIT D'ÊTRE POUR LES GAMINS...

... J'AIME TROP LES HISTOIRES POUR ÇA...

BON !? ÇA RACONTE QUOI ?

O.K., ON PARLERA APRÈS, ALORS...
REGARDE, ÇA DEVRAIT TE PLAIRE...

DÈS SON ENTRÉE DANS LE PALAIS DES ILLUSIONS, DURYODHANA RESSENT L'ÉTRANGETÉ DU LIEU...
LA VOIX DE LA BELLE DRAUPADI L'APPE
APPROCHE, CHER BEAU-FRÈRE...

DANS LA PÉNOMBRE, DRAUPADI L'INCITE À SE DIRIGER VERS LA PORTE D'UN MUR À TRAVERS LAQUELLE IL VOIT LA SILHOUETTE DE L'UNE DES SERVANTES.

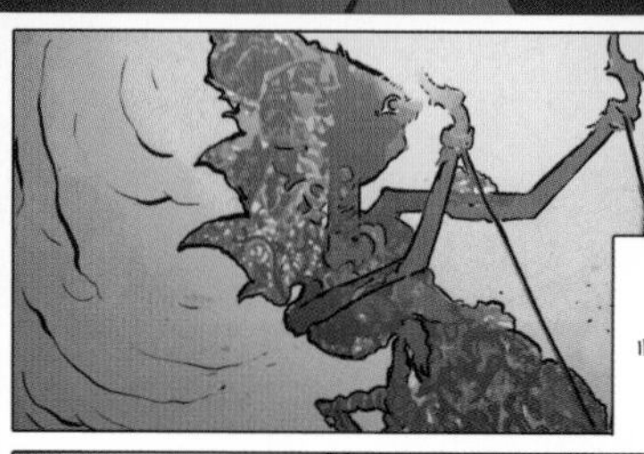
CROYANT PASSER LA PORTE, DURYODHANA PERCUTE LE MUR DES ILLUSIONS ET SON ESPOIR D'ATTEINDRE CELLE QU'IL AIME S'ÉVANOUIT ...

LORSQUE LA BELLE ET VERTUEUSE DRAUPADI SE RIT DE LUI, IL SE SENT INSULTÉ...
... ET IL SE SOUMET ENTIÈREMENT À SON INSTINCT DE VENGEANCE.

ET C'EST DANS LA MÂYÂ SÂBHA, CETTE ANTICHAMBRE DES ILLUSION QUE FURENT SEMÉES LES GRAINES DE LA GRANDE GUERRE DU MAHABHARATA

TU CONNAIS PLATON ?
... VAGUEMENT ENTENDU CAUSER, MAIS ÇA FAIT UN BAIL ...

TU TE RAPPELLES, L'HISTOIRE DES MECS ASSIS DANS UNE CAVERNE ET QUI CROIENT QUE LES OMBRES PROJETÉES SUR LA PAROI SONT LA RÉALITÉ...
LA MÂYÂ, C'EST UN PEU L'ÉQUIVALENT HINDOU DE L'ALLÉGORIE DE LA CAVERNE...

C'EST L'ILLUSION D'UN MONDE PHYSIQUE QUE NOTRE CONSCIENCE CONSIDÈRE COMME LA RÉALITÉ.
CELUI QUI COMME LE ROI DURYODHANA NE S'AFFRANCHIT PAS DE CETTE ILLUSION EST DESTINÉ À LA SOUFFRANCE...

BON, EUH, C'EST COOL, MAIS DIS-MOI, C'EST PUREMENT SPÉCULATIF TON HISTOIRE, LÀ, ENFIN...

TU CHERCHES PAS À ME DIRE UN TRUC EN PARTICULIER, LÀ ?

BEN NON, C'EST TOI QUI VOULAIS ME PARLER, AU FAIT ?
NON, NON, LAISSE TOMBER, ON VA PAS RECOMMENCER...
EUH, ÉCOUTE, THOMAS, TU M'AS DIT QUE TU AVAIS BESOIN DE ME VOIR, J'AI SUPPOSÉ QUE ÇA AVAIT UN **LIEN** AVEC TES **PROBLÈMES** ET GENETIKS.
JE CROYAIS QUE C'ÉTAIT SOUS-ENTENDU QUE JE TE REVOYAIS SI JE POUVAIS TE RENDRE SERVICE, RIEN DE PLUS.
EUH... BEN NON !
"BEN NON", T'AS PAS DE PROBLÈME AVEC GENETIKS OU "BEN NON", C'ÉTAIT PAS SI CLAIR !
O.K., J'AI DES PROBLÈMES AVEC MA BOÎTE, MAIS C'EST PEUT-ÊTRE PAS POUR ÇA QUE JE VOULAIS TE REVOIR...
LAISSE TOMBER, THOMAS, JE CROIS QU'ON N'EST PAS FAITS POUR ÇA TOUS LES DEUX...
...
... DU MOINS, PAS ENSEMBLE.

NOOOOON !

T'AS BEAU ÊTRE INGÉNIEUR, T'ES PAS DOUÉ POUR COMPRENDRE LES SIGNES, ON DIRAIT...

ALORS JE VAIS T'EXPLIQUER PLUS CLAIREMENT...

TU ARRÊTES DE TOUT RAPPORTER À TES PATRONS...
... ET TU ARRÊTES DE FOURRER TON PETIT NEZ D'INGÉNIEUR DANS DES ENDROITS SOMBRES, SINON ON VA ÊTRE OBLIGÉS DE TE MONTRER CE QUI SE CACHE DERRIÈRE TOUT ÇA...

ET JE NE SUIS PAS SÛR QUE TON PETIT CŒUR D'INGÉNIEUR SUPPORTERA CE QU'IL DÉCOUVRIRA.

AH ! AH ! AH ! AH ! AH !

AH ! AH

BLAM ! BLAM !
?!
DRIIING ! DRING !
BLAM ! BAM ! BAM !
ARRÊTEZ ! JE VOUS AI DÉJÀ DIT TOUT CE QUE JE SAVAIS !
JE VEUX PAS ÊTRE MÊLÉE À CES HISTOIRES !
BAM ! BAM !
MAIS ENFIN, ANNE ! OUVRE ! MERDE ! IL FAUT QUE JE TE PARLE !
BLAM! BLAM! BLAM!

THOMAS ?
MAIS T'ES DINGUE DE TAPER COMME ÇA ? HEUREUSEMENT QUE MON MEC N'EST PAS LÀ ! QU'EST-CE QUI TE PREND ?!

LES MECS, LÀ, CEUX QUI T'ONT POSÉ DES QUESTIONS, ILS M'ONT CHOPÉ DANS UN COIN SOMBRE...
JE... J'AI ENCORE FAIT UN MALAISE, JE VOIS DES TRUCS BIZARRES, ANNE !

MERDE, T'ES SÛR QU'ILS T'ONT PAS SUIVI AU MOINS ?

J'EN AI MARRE... CES MARIONNETTES INDONÉSIENNES, ÇA M'A IMPRESSIONNÉ, JE VOIS DES TRUCS BIZARRES, JE TE DIS...

J'EN PEUX PLUS, ANNE, IL FAUT QUE TU M'AIDES !

THOMAS, IL FAUDRAIT QUE TU TE FASSES EXAMINER MAINTENANT ! C'EST PAS NORMAL, TON ÉTAT...

ME FAIRE EXAMINER ? MAIS PAR QUI, PUTAIN !
ES MECS QUI SERAIENT CAPABLES DE FAIRE UN DIAGNOSTIC SÉRIEUX BOSSENT TOUS PLUS OU MOINS POUR LE TRUST !

MAIS QU'EST-CE QU'ON M'A FAIT, ANNE ?!

JE NE SAIS PAS, THOMAS, IL FAUDRAIT QU'ON PUISSE ACCÉDER À TON DOSSIER CHEZ GENETIKS, S'ILS T'ONT FAIT QUELQUE CHOSE, ON SAURA CE QUE C'EST.

MAIS J'AI JAMAIS PARTICIPÉ À AUCUNE EXPÉRIENCE, MOI ! J'AI JUSTE PERMIS QU'ON FASSE UN PRÉLÈVEMENT DE MES CELLULES, C'EST TOUT !

!!!

TON ORDINATEUR !

QUOI ? MAIS QU'EST-CE QUE TU VEUX FAIRE, LÀ ?

JE VAIS ME CONNECTER AU RÉSEAU DU LABO, S'IL Y A UN ENDROIT OÙ JE POURRAI TROUVER DES INFOS, ÇA SERA LÀ !
HEIN ?! MAIS T'ES MALADE ?

C'EST TOI QUI M'A SUGGÉRÉ DE RECHERCHER MON DOSSIER, NON ? Y'A QU'UN SEUL MOYEN POUR ÇA : FAUT QUE JE PIRATE LEUR SYSTÈME.
GENETIKS
MAIS T'ES DINGUE ?
C'EST BON, C'EST BON ! ME FAIS PAS L'ARTICLE, JE SUIS DE LA MAISON...
... JE MAÎTRISE, LÀ !
Access denied ! Your IP is being scanned !
MERDEMERDEMERDEUUUUU !

IS QUOI, PUTAIN ?! S QUOI ?! ILS SONT AIN DE REMONTER ÉSEAU POUR NOUS IDENTIFIER !
MAIS JE SAIS PAS, MOI, DÉBRANCHE ! DÉBRANCHE !
CRAC
MAIS ? MAIS T'ES CON OU QUOI ?

EUH... ANNE, JE SUIS DÉSOLÉ...
BON, MAINTENANT, ÇA SUFFIT COMME ÇA LES EMMERDES !
C'EST SYMPA D'ÊTRE PASSÉ, THOMAS ! TU SAIS QUE JE T'ADORE...
MAIS LÀ, ON VA ESSAYER DE LIMITER NOS RELATIONS AU BOULOT, LE TEMPS QUE ÇA SE TASSE...
T'INQUIÈTE PAS POUR LA MACHINE, J'AI UNE BONNE ASSURANCE, JE VEUX JUSTE ÉVITER LES EMBROUILLES AVEC LA BOÎTE, O.K. ?
... JE T'APPELLE !
VLAM !

Genetiks™
Our Labs are
the future of your genes
MR HALE, IL FAUT QUE JE VOUS DISE...
GNAARR !
TU M'OUBLIES, FÉLIPÉ ! TU M'OUBLIES !
QU'EST-CE QUE C'EST ENCORE QUE CES CONNERIES !
Mr Hale, you are no longer allowed to access the service.
Please contact Genetiks administration for more information
Thomas Hale
ingénieur
THOMAS ! THOMAS !
FÉLIPÉ T'A PAS DIT ?
LE DIRECTEUR DU LABO EST PASSÉ CE MATIN, IL ÉTAIT FURIEUX ! À CAUSE DE TA TENTATIVE D'INTRUSION DANS LE RÉSEAU, ILS ONT DÉCIDÉ DE RESTREINDRE TOUS TES ACCÈS...
PUUUUTAIN !

Thomas Hale
25 LABO
free access
10 to 20
T Hale
251 LABO
VOUS ÊTES ALLÉ TROP LOIN, THOMAS, VOUS LE SAVEZ BIEN...

... MAIS TENEZ VOUS À CARREAU QUELQUE TEMPS ET TOUT VA S'ARRANGER. VOUS ÊTES UN BON CHERCHEUR...

ANDREAS MARTIN CROIT EN VOUS !

MAIS C'EST PAS BIENTÔT FINI CES CONNERIES PATERNALISTES, LÀ ?

MES ACCÈS ONT ÉTÉ TELLEMENT RÉDUITS QUE C'EST À PEINE SI J'AI LE DROIT D'ALLER PISSER DANS LES CHIOTTES D'UN ÉTAGE QUI NE SERAIT PAS LE MIEN !
SOYEZ RAISONNABLE, THOMAS, VOTRE COLÈRE NE FAIT QU'AJOUTER À L'EMBARRAS DE CEUX QUI VEULENT VOUS AIDER...
BON, ÉCOUTEZ, JE VEUX BIEN FAIRE UN EFFORT...

T'AS UN PROBLÈME, THOMAS ! T'AS UN PROBLÈME AVEC L'AUTORITÉ !

MASON
Anne
ingénieur
OH, ET PUIS MERDE !

JE VAIS PAS ME LAISSER BOUFFER LA LAINE SUR LE DOS ! J'AI LE DROIT DE SAVOIR DANS QUELLE EMBROUILLE CES CONNARDS M'ONT FOUTU.

Opera 7.23
a Visa Navigera Bokmärken
SEARCH FOR...
Webb
Bilder
MP3/Ljud
EXPERIMENT
Webb
Bilder
MP3/Ljud
GENETIK™ DATA
MASON ANNE

HOME | DESIGN | PROCESS | CAREERS | DIRECTORY | FORUMS

Newsletter | Menbership | Advertise | Contact | help

First sight | design reviews | photo galleries | image search

GENETIKS™

OH ! NON... PAS ENCORE !
ingénieur
...OOOON !
HEY ! NOOOOOOO...

JE VOUS JURE QUE JE CONNAIS RIEN À CE PROJET, JE SAIS RIEN, JE DIRAI RIEN...
DE QUOI TU PARLES ? ÇA DOIT ÊTRE LA PLUIE, JE COMPRENDS RIEN À CE QUE TU ME DIS, LÀ !
ÉCONOMISE TON SOUFFLE, T'ES PAS UN BON COUREUR...
... ON EST JUSTE VENUS TE RENDRE UNE PETITE VISITE AMICALE POUR S'ASSURER QUE TU AS BIEN COMPRIS...
T'AURAIS PAS DÉTALÉ COMME UN LAPIN, ON T'AURAIT JUSTE FAIT UN PETIT SIGNE POUR QUE TU VOIES QU'ON PENSE TOUJOURS À TOI...
MAIS COMME T'ES UN INGÉNIEUR, IL A ENCORE FALLU QUE TU TE CROIES LE PLUS MALIN...

BON, JE CROIS QUE CETTE FOIS TU TE SOUVIENDRAS DE NOUS, HEIN ?
TIENS, TU AS PERDU ÇA EN CHEMIN, T'EN AURAS PEUT-ÊTRE BESOIN POUR RENTRER TE SÉCHER LES CHEVEUX DANS LE VESTIAIRE POUR DAMES...
?!

ELLES SONT ÉNORMES, C'EST INCROYABLE ! PRESQUE LA TAILLE D'UN COCHON D'INDE...
NOUS ÉLABORONS DES PROTOCOLES DE RECHERCHE QUI VONT CHANGER LA NATURE DE L'HUMANITÉ.
NON ! NOOOON !

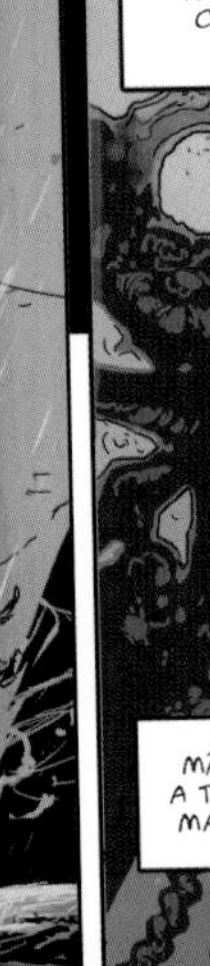
VOUS AVEZ LE PRIVILÈGE DE POUVOIR NOUS AIDER À BRISER CES PUISSANTS TABOUS...

ÇA VA PAS MIEUX, TOI ! FRANCHEMENT, TU DEVRAIS CONSULTER, TES PUPILLES SONT COMPLÈTEMENT DILATÉES...
MÂYA SÂBHA, A TALE OF THE MAHABHARATA.

ALICE...

YOUR GENES ARE NOW IN OUR HANDS AND WE WILL TAKE CARE OF THEM...

LE... LE PROJET ANQÂ...

D'APRÈS NOS AGENTS, IL PORTAIT LA CARTE D'ACCÈS DE SA COLLABORATRICE SUR LUI.

MASON
Anne
Ingénieur
C'EST AVEC CETTE CARTE QU'IL AURAIT TENTÉ D'INFILTRER À NOUVEAU NOTRE RÉSEAU.

QU'A-T-IL DÉCOUVERT EXACTEMENT ?

RIEN ! JE NE PENSE PAS QU'IL PUISSE ÉTABLIR UN QUELCONQUE LIEN ENTRE CE QU'IL A VU ET SON CAS PERSONNEL.

VOUS AVEZ SANS DOUTE RAISON, CLAIRE, TOUTEFOIS C'EST SUR LUI QUE REPOSE NOTRE PROJET...

QUOI QU'IL SACHE OU CROIE SAVOIR, NOUS NE POUVONS DÉSORMAIS PLUS LUI FAIRE CONFIANCE...

THOMAS HALE VA DEVOIR NOUS QUITTER...

JE NE SAIS PAS, ABEL ! IL A DÉBARQUÉ CHEZ MOI DANS UN ÉTAT LAMENTABLE... NON !
NON, JE NE CROIS PAS QU'IL ESSAYE DE NOUS PIÉGER !
JE NE SAIS PAS S'IL POURRA NOUS ÊTRE VRAIMENT UTILE, ABEL ! JE CROIS QU'IL VEUT JUSTE QU'ON L'AIDE À SE SORTIR DE LÀ... TU COMPRENDS ?!
ALORS CETTE FOIS, ON LES TIENT ! NON, MAIS TU TE RENDS COMPTE ?! LEUR DERNIER GRAND COUP QUI LEUR CLAQUE DANS LES PATTES.
OUI, ALICE, BIEN SÛR...
MAIS ON PARLE DE GENETIKS, LÀ ! C'EST LA PREMIÈRE FOIS QUE QUELQU'UN D'AUSSI IMPLIQUÉ EST PRÊT À LES ATTAQUER.

OUI, ABEL, JE... JE SAIS ! RAPPELLE-MOI DÈS QUE TU SAURAS QUOI FAIRE, O.K. ?
ALORS ?
JE CROIS QU'IL VA ACCEPTER DE T'AIDER...

TON RESSION AN ? ELLE OUJOURS NS TA CHE ?

OUI, JE CROIS... ILS VOULAIENT JUSTE M'INTIMIDER, ILS NE M'ONT PAS FOUILLÉ.

MAIS AVEC MA CHUTE DANS LA RIVIÈRE, ELLE DOIT ÊTRE COMPLÈTEMENT FOUTUE...

?!

TU ES SÛR D'AVOIR ÉTÉ POUSSÉ DANS CETTE RIVIÈRE ?

LE PAPIER EST DÉLAVÉ, D'ACCORD, MAIS PLUTÔT À CAUSE DE LA PLUIE. SI TU AVAIS VRAIMENT ÉTÉ IMMERGÉ, CE TRUC SERAIT ILLISIBLE...

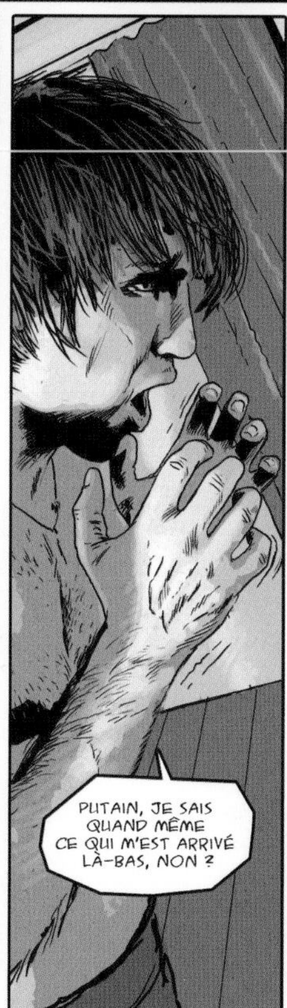
PUTAIN, JE SAIS QUAND MÊME CE QUI M'EST ARRIVÉ LÀ-BAS, NON ?

O.K., O.K., JE REMETS PAS EN QUESTION, SI TU DIS QUE ÇA T'EST ARRIVÉ, ALORS ÇA T'EST ARRIVÉ, IL DOIT Y AVOIR UNE AUTRE EXPLICATION...

BON, MAIS CE TRUC, C'EST QUOI À TON AVIS ?
L'OISEAU, LÀ ? JE SAIS PAS, ON DIRAIT DES FLAMMES AUTOUR DE LUI, À MOINS QUE CE NE SOIT LE DÉTREMPAGE QUI AIT FAIT COULER L'ENCRE...
ANQÂ
NON, MAIS CE MOT : ANQÂ, ÇA VEUT DIRE QUOI À TON AVIS ?
ATTENDS, COMMENT T'ÉPELLES ÇA, C'EST PLUS TRÈS CLAIR, LÀ...
A-N-Q-Â...
O.K. ! TIENS, REGARDE... ÇA RESSEMBLE UN PEU À TON IMAGE, TU CROIS PAS ?
ET AUTOUR, CE SONT BIEN DES FLAMMES...
GREC ΕΛΛΗΝΙΚΑ GREC ΕΛΛΗΝΙΚΑ
VISIBLEMENT, POUR LES PERSES ET LES ARABES, L'ANQÂ ÉTAIT L'ÉQUIVALENT DU PHÉNIX DES ÉGYPTIENS...
L'ÉVIDENCE DE LA PARABOLE TE SAUTE TOUJOURS À LA GUEULE...
... ET MOI QUI PRENAIS LES MECS DE CHEZ GENETIKS POUR DES MATHEUX ILLETTRÉS...
BON, ON N'EST PEUT-ÊTRE PAS ILLETTRÉS FINALEMENT, MAIS ON EST UN PEU POMPEUX QUAND IL S'AGIT DE TROUVER DES NOMS DE CE GENRE...

TU SAIS QUOI ? ABEL SAURA TE DÉMÊLER TOUT ÇA. SI CE PROJET EXISTE VRAIMENT, IL A DES ÉQUIPES QUI POURRONT TE DÉNICHER DES INFOS...
... MÊME UNE BOÎTE COMME GENETIKS NE PEUT PAS MENTIR À TOUT LE MONDE TOUT LE TEMPS.

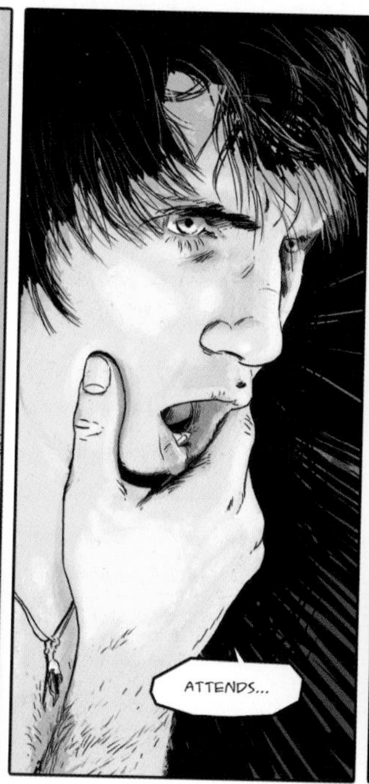
ATTENDS...

CET ANQÂ, CE PHÉNIX... IL RENAÎT TOUJOURS DE SES CENDRES...

... C'EST EXACTEMENT COMME S'IL AVAIT ACQUIS L'IMMORTALITÉ...

PUTAIN...
BON, FAUT CROIRE QUE TES BOUQUINS NE RÉPONDENT PAS À TOUTES LES QUESTIONS...
JE CROIS QUE JE M'Y FERAI JAMAIS...
EST-CE QUE... EST-CE QUE TU CROIS À LA VIE ÉTERNELLE, TOI ?
JE NE SAIS PAS, J'AI PAS ASSEZ DE CONNAISSANCES POUR ÇA, MAIS SI TU VEUX VRAIMENT MON AVIS...
... JE PRÉFÉRERAIS QUE TOUT ÇA N'EXISTE PAS.